Dans la même collection:

- Le cirque
- La maison hantée
- Gorga, le monstre de l'espace
- Un robot bien à toi
- La chose verte
- Alerte dans l'espace
- Safari dans la jungle
- Au secours, je rapetisse!
- Port-au-Fantôme
- Au pays des chevaux sauvages
- La créature mystérieuse de la Mare-à-Meunier
- L'astronef à la dérive
- À la recherche de Champie
- Voyage au pays des rêves
- La Tour de Londres
- Au temps des dragons

SAFARI
DANS LA JUNGLE

EDWARD PACKARD

ILLUSTRATIONS : LORNA TOMEI

TRADUIT DE L'ANGLAIS PAR
MARIE-ANDRÉE CLERMONT

 Héritage
jeunesse

Dépôts légaux : 1er trimestre 1987
Bibliothèque nationale du Québec
Bibliothèque nationale du Canada

ISBN : 2-7625-4731-8   Imprimé au Canada

LES ÉDITIONS HÉRITAGE INC.
300, Arran, Saint-Lambert, Québec J4R 1K5
(514) 672-6710

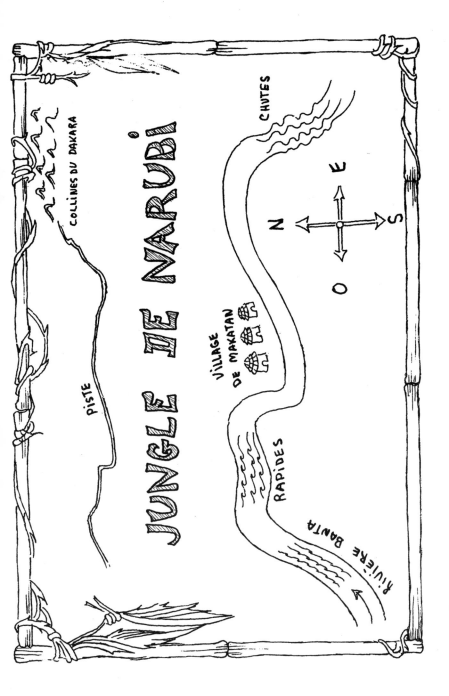

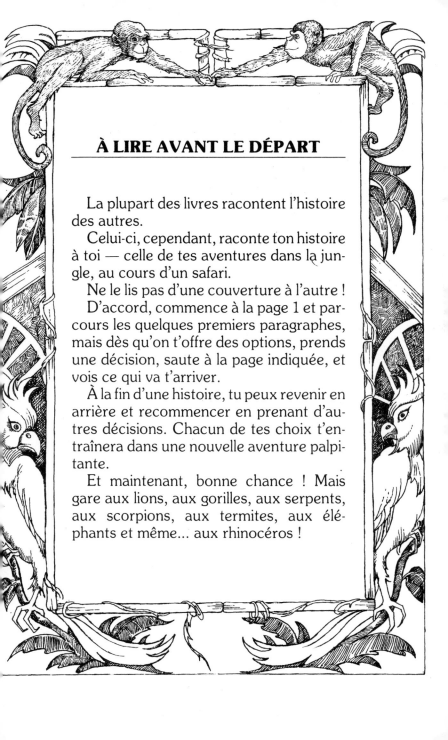

À LIRE AVANT LE DÉPART

La plupart des livres racontent l'histoire des autres.

Celui-ci, cependant, raconte ton histoire à toi — celle de tes aventures dans la jungle, au cours d'un safari.

Ne le lis pas d'une couverture à l'autre !

D'accord, commence à la page 1 et parcours les quelques premiers paragraphes, mais dès qu'on t'offre des options, prends une décision, saute à la page indiquée, et vois ce qui va t'arriver.

À la fin d'une histoire, tu peux revenir en arrière et recommencer en prenant d'autres décisions. Chacun de tes choix t'entraînera dans une nouvelle aventure palpitante.

Et maintenant, bonne chance ! Mais gare aux lions, aux gorilles, aux serpents, aux scorpions, aux termites, aux éléphants et même... aux rhinocéros !

Ton oncle Stanislas travaille comme gardien chargé de la protection de la faune et sa fille Julie est ta cousine préférée. Ils t'ont invité à les accompagner dans un safari dans la jungle. Tu auras l'occasion de voir des animaux sauvages courir en liberté, et peut-être même la chance d'apercevoir le kawamba, un singe géant qui vivait autrefois dans les collines du Dakara.

En effet, ton oncle croit que quelques rares spécimens de l'espèce pourraient encore subsister, camouflés quelque part dans la zone la plus dense de la jungle. Car bien que le kawamba n'ait pas été vu depuis belle lurette, quelques personnes affirment avoir entendu son cri — un long sifflement rauque qui rappelle le son de la flûte.

Alors, prêt pour le départ ? Eh bien, dresse une liste des bagages à emporter et remplis-en ton havresac...

Tourne la page.

2 Après une journée complète à bringuebaler par des chemins raboteux dans la voiture de brousse de ton oncle, vous avez enfin atteint l'orée de la jungle de Narubi. Et maintenant, dans les profondeurs de la nuit, tu te reposes sous la tente, étendu sur un lit de camp. Ta cousine Julie dort calmement un peu plus loin. Une lune pâlotte brille au firmament et tu entends, au dehors, les cris et les appels des fauves.

Ton oncle Stanislas occupe la tente voisine, mais tu voudrais bien qu'il soit à tes côtés car tu ne te sens pas rassuré. « Ce n'est peut-être rien du tout », te dis-tu pour chasser tes craintes.

Tu sombres enfin dans le sommeil et tes rêves sont peuplés de singes, d'hippopotames et de girafes. Tu t'éveilles au petit matin.

Passe à la page suivante.

HSSSS ! Tu sens quelque chose glisser en ondulant sur tes jambes. HSSSSS ! Horreur ! C'est le mamba vert, l'un des serpents les plus venimeux du monde !

Si tu essaies d'attraper le serpent par le cou pour l'empêcher de bouger la tête, passe à la page 44.

Si tu préfères te rouler sur toi-même pour échapper au serpent, saute à la page 9.

Si tu décides de faire le mort, va à la page 20.

4   Ton oncle gonfle le radeau pneumatique et vous appareillez tous les trois, avec armes et bagages.

— Les collines du Dakara doivent se trouver à une vingtaine de kilomètres, estime ton oncle. Si tout va bien, nous y arriverons en quelques heures.

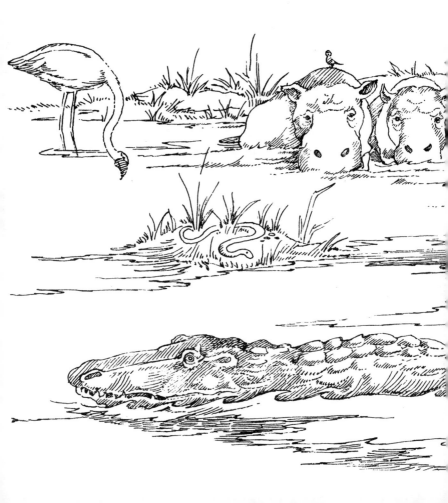

Tout au long de la rivière, vous apercevez **5**
des flamants qui s'ébattent près des berges.
Un hippopotame nain vous regarde voguer,
debout sur le rivage. Un crocodile vous dé-
passe en nageant, mais il ne semble pas vous
voir.

Tourne la page.

6 Tu entends soudain un grand bruit venant d'un peu plus loin devant vous.

— Qu'est-ce que c'est ? demandes-tu.

— Des rapides ! s'exclame oncle Stanislas. Oh, là là, c'est qu'ils ont l'air puissants ! Mais on ne peut pas virer de bord. Tenez-vous bien, les enfants — ça va brasser !

Bientôt, en effet, le radeau est entraîné dans le courant rageur. Ton oncle avironne d'un côté, toi et ta cousine de l'autre. De lourds bouillons blancs vous giclent en pleine figure. À un moment donné, le radeau manque de chavirer et Julie et toi, vous êtes projetés dans les remous.

Passe à la page 16.

8   Les inquiétudes de la nuit s'évaporent dans le bon air frais du matin. Tu entends les colombes qui roucoulent. En deux temps, trois mouvements, tu t'habilles, tu boucles ton sac à dos et te voilà prêt à entreprendre la journée.

Oncle Stanislas déploie une carte géographique devant Julie et toi.

— À partir d'ici, pointe-t-il, c'est à pied que nous traversons la jungle de Narubi. En empruntant cette piste, nous devrions atteindre les collines du Dakara avant la nuit. C'est là que les kawambas ont été vus pour la dernière fois.

— Mais n'est-ce pas aussi cette piste qu'utilisent les lions et les léopards ? s'inquiète ta cousine. Gonflons plutôt le radeau pneumatique et descendons la rivière Banta jusqu'aux collines du Dakara.

— Ça pourrait se faire, dit oncle Stanislas, sauf que nous ne la connaissons pas, cette rivière.

Il se tourne vers toi :

— Es-tu prêt à risquer une descente dans les rapides ? te demande-t-il.

Si tu réponds que tu préfères suivre la piste à travers la jungle, passe à la page 14.

Si tu décides plutôt d'emprunter la voie fluviale, reviens à la page 4.

Sans faire ni une ni deux, tu roules en **9** dehors du lit de camp — si vite que tu fonces tout droit dans celui de Julie.

— SERPENT ! SERPENT ! crie alors Julie en désignant du doigt le mamba qui rampe à toute vitesse sur le plancher.

L'oncle Stanislas s'amène en courant et, de la pointe de sa carabine, il pousse le serpent vers la sortie. Le reptile quitte la tente en ondulant. *Fiou !*

— Quelqu'un a oublié de remonter la fermeture à glissière du rabat, jette l'oncle Stanislas d'un ton fâché.

Puis il inspecte soigneusement la tente pour s'assurer qu'aucun autre reptile ne s'y cache.

— Je suis certain que tout le monde sera plus prudent à l'avenir, ajoute-t-il avant de sortir.

— Si papa avait l'air en colère, commente Julie après le départ de ton oncle, c'est que nous courons des dangers dans ce safari. Des tas de gens sont venus dans la jungle de Narubi et n'ont jamais été revus depuis.

Reviens à la page précédente.

10 Tu cours le long de la piste mais soudain tu t'arrêtes pile. *Tu n'es pas seul.* Derrière l'enchevêtrement des branches, des yeux t'observent.

Un bruit de trompette te perce les tympans ! De l'ombre des bois sort alors un énorme éléphant qui agite la trompe et les oreilles. Il plonge des yeux féroces tout droit dans les tiens ! Que faire ? Te cacher ? Te sauver en courant ? Il faut que tu penses vite !

Si tu te caches derrière un arbre,
passe à la page 21.

Si tu déguerpis sans demander ton reste,
saute à la page 15.

12   Tu escalades la termitière, qui semble aussi dure que du roc. Elles se construisent des maisons solides, ces fourmis blanches !

Juché sur le sommet, tu vois un sentier menant sur une haute colline. Après avoir bu quelques gorgées d'eau à même ta gourde, tu redescends et tu t'engages dans cette direction.

Après trois bonnes heures de marche, tu atteins un ruisseau. En sueur et à bout de force, tu t'asperges d'eau pour te rafraîchir. Puis, tu jettes un regard alentour. C'est alors que tu aperçois une famille de gorilles, à quelques douzaines de mètres de toi. Accroupis près de l'eau, ils mangent du céleri sauvage.

Un gros gorille au dos couvert de poils argentés se lève sur ses pattes postérieures. Puis, te regardant bien en face, il se met à tambouriner sur son énorme poitrine tout en poussant un grand cri.

Figé sur place, tremblant de frayeur, tu remarques toutefois un plus petit gorille qui te regarde en hochant la tête à gauche et à droite.

Passe à la page suivante.

Si tu vires de bord en prenant
la poudre d'escampette, tourne à la page 24.

Si tu te branles la tête en essayant d'agir
comme un gorille, passe à la page 26.

Si tu essaies de traverser le ruisseau à gué,
va à la page 38.

Vous partez donc à pied à travers la brousse.

— Je suis content de passer par ici, vous confie l'oncle Stanislas, chemin faisant. Nous courons la chance d'apercevoir un okapi — vous savez, ce cousin de la girafe — ou même un gorille.

— Pourvu qu'on ne rencontre pas de léopard, murmure Julie.

Après plusieurs heures de marche dans la chaleur humide de la jungle, tu aperçois deux perroquets aux couleurs vives qui se pourchassent d'arbre en arbre. Fasciné, tu t'attardes un moment à suivre leurs ébats. Or, quand ils disparaissent de ta vue, tu te rends compte que ton oncle et ta cousine en ont fait autant. Ils ont continué à avancer, eux, et te voilà tout seul !

Reviens à la page 10.

Tournant le dos à l'éléphant, tu t'enfuis à **15** toutes jambes. Tu cours à perdre haleine à travers des touffes de ronces qui t'égratignent les bras et déchirent ta chemise. L'éléphant se lance à ta poursuite, écrasant buissons et arbrisseaux sur son passage. Faisant un brusque saut de côté, tu grimpes alors dans un arbre. À travers les bosquets, tu vois le gros mammifère agiter la trompe, l'air menaçant.

Puis, brusquement, le voilà qui repart lourdement dans la broussaille.

Tu te laisses glisser jusqu'à terre. Si tu réussis à rejoindre la rivière, tu suivras son cours en aval et tu retrouveras peut-être Julie et son père, ou alors un village accueillant.

Passe à la page 22.

16   La rivière t'entraîne en aval. Tu as du mal à garder la tête hors de l'eau. Mais soudain, tu aperçois un gros billot qui flotte tout près. Comme tu t'y raccroches, tu sens qu'on te tire la jambe. C'est Julie !

— Tiens-toi bien, crie-t-elle.

Mais tu n'es pas capable. Toi et ta cousine, ainsi que le billot, vous dégringolez le long d'une chute et tu te retrouves au creux d'un tourbillon tumultueux.

Tu parviens enfin à remonter à la surface et tu aperçois Julie à quelques mètres de toi, agrippée au billot.

— Ça va ? lance-t-elle à voix forte, pour couvrir le grondement de la chute.

Passe à la page 19.

18 Tu poursuis quand même ta marche. Comme il fait chaud et humide sous le couvert des arbres, tu es très content de déboucher enfin sur une clairière où une brise fraîche te caresse le visage.

Devant toi s'étend une plaine, mais l'herbe en est tellement haute que tu ne vois pas très loin. Ce que tu *vois* cependant, c'est une butte d'un peu plus d'un mètre de hauteur construite par les termites. Si tu grimpais dessus, tu verrais au-delà des herbes et tu pourrais t'orienter. Évidemment, il y a le risque que la butte cède sous ton poids... tu te retrouverais alors dans le nid de milliers de fourmis blanches enragées !

Si tu décides de te risquer sur la termitière,
reviens à la page 12.

Si tu préfères poursuivre ton chemin
à travers lès hautes herbes,
saute à la page 42.

— Je pense que oui, réponds-tu en nageant jusqu'au billot.

Tu t'y accroches solidement, le temps de reprendre ton souffle.

— Il faut retrouver mon père, dit Julie. Je crois que nous pouvons atteindre la berge à bord de ce billot, en ramant avec nos mains. Mais pourquoi ne pas rester dessus et le laisser dériver dans le courant ? Qui sait, nous aboutirons peut-être à un village où nous pourrons trouver de l'aide.

Si tu choisis de laisser le billot descendre le courant, va à la page 28.

Si tu décides plutôt de ramer jusqu'à la berge, passe à la page 34.

20   Tu restes couché, complètement immobile. Quelques secondes plus tard, le serpent glisse à bas de ta jambe et s'affale sur le plancher.

— Julie, réveille-toi !

Bondissant hors du lit, tu guides le serpent vers la porte à l'aide d'une pelle. Après l'avoir poussé dehors, tu t'empresses de remonter la fermeture éclair de la tente.

Assise sur son lit de camp, Julie te regarde, les yeux écarquillés.

— Bien joué, cousin, te félicite-t-elle.

Tu trembles tellement que tu ne peux pas répondre.

— Comme mon père passe son temps à le répéter, poursuit Julie, dans la jungle, il faut des réflexes rapides.

Reviens à la page 8.

Tu cours derrière un arbre, mais tu recules aussitôt, en voyant l'éléphant l'entourer de sa trompe. Il agite cet arbre comme s'il s'agissait d'un simple rameau, faisant tomber les feuilles et les branches. Tu ferais mieux de te tirer de là.

T'élançant en flèche, tu te faufiles à travers les broussailles, puis tu te tapis, immobile, au coeur d'un épais fourré. L'éléphant rapplique, courant à fond de train. Ouf ! il est passé tout droit, sans te repérer. Après quelques minutes, tu te risques hors de ta cachette et tu reprends ton chemin le long de la piste. Mais tu te rends bientôt compte que tu es perdu.

Reviens à la page 18.

22   Poursuivant ton chemin vers la rivière, tu découvres une piste d'animal. « Elle communique peut-être avec celle où j'ai perdu mon oncle et ma cousine », te dis-tu. Mais à peine as-tu franchi une courte distance qu'une paroi rocheuse te bloque la route. À travers les hautes herbes, tu remarques une petite ouverture qui perce la paroi. S'agirait-il de l'entrée d'une caverne ?

Mais quel est donc ce bruit insolite derrière toi ? Tu te retournes et que vois-tu ? Un rhinocéros qui s'avance lentement vers toi.

Si tu rampes dans l'ouverture de la paroi rocheuse, passe à la page 27.

Si tu t'enfuis dans la forêt en courant dans les hautes herbes, va à la page 39.

24 Tournant les talons, tu pars en courant. Mais le gros gorille charge derrière toi, le bras levé pour te frapper. Tu essaies de te pencher, mais il t'agrippe par le fond de culotte et t'envoie voler dans les airs. Te voilà complètement dans les pommes !

Quand tu reviens à toi, tu aperçois un jeune gorille à tes côtés. Du coin de l'oeil, tu reconnais le gros, là tout près.

Le jeune te fourre une branche de céleri sauvage dans la bouche. Tu n'en veux pas vraiment, mais tu en prends une bouchée car tu constates que tu viens d'être accepté dans la famille gorille.

Les jours suivants, tu partages donc la vie de cette bande de grands singes. Ils te nourrissent de fruits et de légumes sauvages, que tu apprends bientôt à cueillir toi-même. Ces aliments ont un goût amer, mais tu t'habitues peu à peu à ce régime. Et, à force de dormir dans les arbres et de partager les jeux des petits gorilles, tu deviens aussi agile et aussi endurant qu'une bête sauvage.

Passe à la page 49.

26   Saisissant une branche de céleri sauvage, tu te la plantes entre les dents. Pendant que tu mâchouilles ce légume au goût amer, tu essaies d'imiter les gestes du jeune gorille en branlant la tête comme lui et en faisant toutes sortes de simagrées.

Au bout de quelques instants, le gros gorille cesse de se frapper la poitrine et il s'assoit. Peut-être seras-tu en sécurité tant et aussi longtemps que tu agiras comme un bébé gorille.

Passe à la page 36.

Vite, tu te glisses dans l'ouverture et te voilà dans un tunnel. Le passage se resserre tellement que tu as peur d'y rester pris. Mais il s'élargit bientôt. Heureusement que tu as ta lampe de poche sur toi. Promenant le jet de lumière tout autour, tu te rends compte que tu as abouti dans une petite caverne.

Les parois sont humides et visqueuses. De l'eau dégoutte du plafond. À quelques mètres de toi, tu découvres des ossements et des crânes empilés les uns sur les autres.

Tu en as assez vu! Pivotant sur toi-même, tu cours vers l'ouverture, mais... pas moyen de sortir : une créature rampante, terrifiante, bloque l'accès au tunnel. C'est un scorpion! Et il peut être venimeux.

Passe à la page 31.

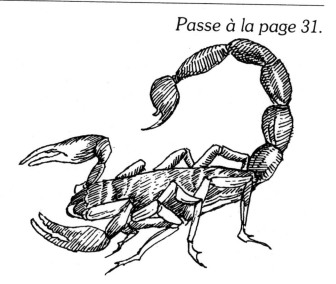

28   Agrippés au billot, toi et ta cousine vous vous laissez porter par le courant. Tu entends bientôt un puissant grondement plus loin devant toi.

— Quel est ce bruit ? demandes-tu à Julie. On dirait une autre chute.

— C'en est bel et bien une, s'affole Julie. La seule différence, c'est qu'elle est encore *plus grosse* !

À mesure que vous vous rapprochez du haut de la chute, le rugissement s'amplifie. Ressemblera-t-elle à l'autre ?

Oh, non ! Cette chute-ci est infiniment plus haute que la première !

Fin

30 Tout excité, tu cours trouver Julie et ton oncle.

— Je suis sûr d'avoir entendu le sifflement du kawamba, leur annonces-tu.

Oncle Stanislas bondit, prêt à partir :

— Vite, guide-nous vers lui.

Vous vous engagez tous les trois dans la forêt dense où vous marchez pendant des heures. Une seule fois pendant tout ce temps, vous réentendez le sifflement, mais jamais vous ne réussissez à apercevoir cet animal mystérieux. En fin de compte, vous vous décidez à rebrousser chemin et vous reprenez la longue piste qui vous ramènera chez vous.

— Pas de doute possible, déclare oncle Stanislas, le cri que nous avons entendu est bien celui du kawamba.

— À lui tout seul, ce cri étrange valait le voyage, dit Julie. Enfin, *presque...*

— Un jour, décides-tu, je reviendrai par ici et je le retrouverai, moi, le fameux kawamba !

Fin

Saisissant le plus gros os de la pile, tu t'en sers pour tenir le scorpion à distance pendant que tu refais le chemin en sens inverse dans le tunnel. Une fois à l'air libre, tu constates que le rhinocéros s'en est allé. *Fiou !*

Sans perdre de temps, tu reprends la piste. Mais quel est donc ce roulement de tambour ? Un tam-tam ! Il doit y avoir un village pas loin ! Guidé par le son, tu repars en courant parmi les bosquets de tamariniers. Tu atteins finalement un tout petit village. Quel bonheur ! Julie et ton oncle sont là, eux aussi !

Tourne la page.

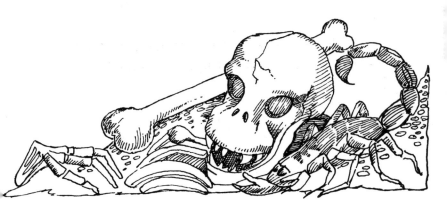

32 — Nous t'avons cherché toute la journée, t'apprend ton oncle. Les villageois espéraient que tu entendrais leur tam-tam.

— C'est bien ça qui est arrivé, réponds-tu. Et regardez-moi ça !

Tu brandis l'os que tu as trouvé et que tu as apporté avec toi.

— Il provient d'une caverne remplie d'ossements, ajoutes-tu.

L'oncle Stanislas examine attentivement ta trouvaille.

— Sauf erreur, déclare-t-il, tu viens de découvrir la caverne qui servait de tombeau aux kawambas. Même si aucun spécimen ne subsiste aujourd'hui, les scientifiques pourront ainsi étudier leurs squelettes et nous donner un tas de précisions sur leur apparence, leur mode de vie, etc.

Fin

34 À califourchon sur le billot, toi et Julie avironnez jusqu'à la berge. Vous abordez enfin et vous apercevez un jeune garçon qui vient à votre rencontre.

— Jambo, allô, vous salue-t-il en souriant. Vous êtes mouillés comme des poissons.

— Et encore plus froids qu'eux, ajoute Julie en frissonnant.

— Si vous m'accompagnez au village de Makatan, il y aura du feu et de la nourriture, vous promet-il.

Toi et ta cousine décidez de le suivre. Votre jeune guide vous conduit à une petite hutte surmontée d'un toit de chaume. Sa maman, Koka, vous offre du riz et des fruits. Elle vous annonce que les villageois sont partis au secours de ton oncle et vous invite à passer la nuit au village.

Ce soir-là, Koka raconte l'histoire de Sungura, le lièvre rusé qui a réussi à duper tous les animaux de la jungle.

Lorsque l'oncle Stanislas arrive enfin, tu comprends que ton safari dans la jungle est terminé. En effet, tous vos bagages ont été emportés dans les rapides. Eh bien, tu n'as peut-être pas trouvé les kawambas pendant ton safari, mais tu t'es fait de très bons amis.

Fin

36   Cet après-midi là, pendant que les gorilles font la sieste, tu t'éclipses en douce. Tu suis une piste qui s'éloigne du ruisseau quand tout à coup, tu entends, dans les buissons voisins, un bruissement qui se rapproche de toi ! Vif comme l'éclair, tu te jettes dans un taillis. Le bruit se rapproche toujours.

Fiou ! C'est Julie et ton oncle !

— Dieu merci, nous t'avons retrouvé ! **37**
s'écrie l'oncle Stanislas. À partir de maintenant, nous devrons toujours nous tenir en-
semble !

Fin

38   Tu descends dans le ruisseau. Le gros gorille t'a suivi jusque-là mais il s'arrête sur la berge. Puis, sans crier gare, il pousse un cri à te percer le tympan. Tu trembles comme une feuille tout en traversant à gué, le plus vite que tu le peux, mais tu comprends bientôt que le grand singe n'a pas du tout l'intention de se mouiller.

Ouf ! Hors de danger, pour le moment du moins. Une fois sur l'autre rive, tu sors de l'eau et tu redescends la côte.

Reviens à la page 22.

Courant à travers les hautes herbes, tu longes la paroi rocheuse et tu te retrouves dans la forêt. Tu as tôt fait d'atteindre la rivière et, à peine as-tu fait quelques pas le long du rivage que tu entends un mugissement provenant d'un peu plus loin devant toi.

Passe à la page 47.

Tu entends un nouveau sifflement — provenant celui-là des profondeurs de la forêt. Le kawamba disparaît dans l'ombre des bois, si vite que tu te demandes si cette apparition n'est pas le fruit de ton imagination !

Tu reviens au pas de course, passant à côté des hippopotames qui se battent toujours, et tu rejoins enfin ton oncle et ta cousine. Ils n'en reviennent pas quand tu leur racontes que tu as vu un kawamba. Puis, tous les trois, vous partez en chasse.

Hélas, impossible de retrouver le kawamba, ni même d'entendre à nouveau son cri. Et lorsque tu rentres à la maison après ce mémorable safari, personne ne croit à ton histoire — à moins, bien sûr, que tu n'aies pris une photo.

Fin

42   Tu poursuis ton chemin à travers les hautes herbes. Mais pas moyen de savoir si tu es dans la bonne direction. Pis encore, tu entends un bruit insolite derrière toi. Qu'est-ce que ça peut bien être ?

Tu presses le pas. Mais l'être qui te suit en fait autant.

Tu te mets à courir. Mais l'être qui te suit en fait autant.

Tu n'oses même pas te retourner pour voir ce que c'est, tellement tu as peur.

Et tu as bien raison !

Fin

44   Tu essaies de saisir le serpent derrière la tête pour éviter sa gueule. Mais le mamba est plus rapide que ton geste et il te mord au bras.

OUIIIIIIIIILLE !

Se précipitant dans ta tente, l'oncle Stanislas pousse le serpent dehors à l'aide de sa carabine.

— Oh, non ! se désole-t-il en t'examinant le bras. Une morsure de mamba, c'est sérieux ! Nous allons devoir te ramener à la clinique d'urgence, pour qu'on te fasse une piqûre. Tu vas t'en sortir, mais ce ne sera pas sans mal.

Quelques minutes plus tard, toi, ta cousine et ton oncle, vous remontez dans la voiture de brousse et vous roulez cahin-caha le long des routes de terre.

Ainsi se termine ton safari dans la jungle.

Fin

Si seulement tu pouvais réentendre le sifflement, tu saurais d'où il vient. C'est alors qu'il retentit à nouveau, juste au-dessus de ta tête, cette fois ! Et soudain, une forme déboule des arbres — c'est un primate ! Couvert de poils ondulés d'un ton qui tire sur le roux, il a un visage d'apparence presque humaine. C'est un kawamba. Qui te regarde les yeux dans les yeux !

As-tu apporté un appareil-photo ? Si oui, tu t'empresses de prendre un instantané !

Reviens à la page 41.

À travers les branches, tu aperçois deux **47** hippopotames géants qui se livrent une bataille acharnée ! Tantôt dans la rivière, tantôt sur la berge, ils se ruent l'un sur l'autre avec tout ce qu'ils ont dans les tripes, lançant des trombes d'eau de tous bords tous côtés.

Tourne la page.

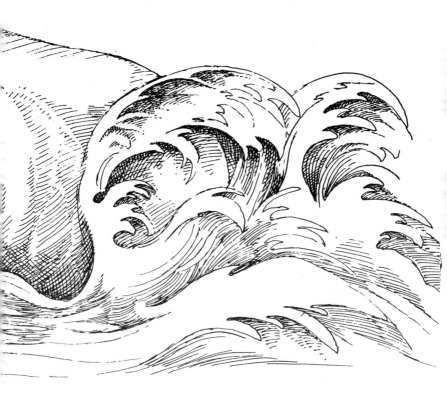

48   Tu reconnais soudain ton oncle et ta cousine, un peu plus loin ! Ils se sont arrêtés pour regarder la bataille mais ils ne t'ont pas encore vu. Tu n'oses marcher directement vers eux, car il te faudrait passer tout près des hippopotames. Alors, tu fais un détour par le bois, tout en espérant les rejoindre rapidement. C'est alors que tu entends un long sifflement rauque, un son qui rappelle la flûte. Il semble provenir de la cime d'un arbre, à une trentaine de mètres de toi.

Si tu te diriges vers l'endroit où tu as entendu le sifflement, reviens à la page 45.

Si tu décides de rejoindre les deux autres au plus tôt, reviens à la page 30.

Un mois plus tard, une équipe de scientifiques te retrouve. Ils sont venus dans la jungle pour étudier les moeurs des gorilles. Ils ont très hâte de t'entendre raconter tes aventures avec la bande de grands singes : en effet, peu de personnes peuvent se vanter d'en connaître autant que toi sur cette merveilleuse espèce animale.

Tourne la page.

50   Quelques jours plus tard, tu retrouves ton oncle et ta cousine.

— Quel bonheur de te revoir ! s'exclame Julie.

— Ah ça, oui, renchérit ton oncle. J'espère que tu reviendras en safari avec nous. Et cette fois, nous le découvrirons, le kawamba !

Fin

L'AUTEUR

Diplômé de l'université Princeton et de l'école de Droit de l'université Columbia, *Edward Packard* a pratiqué le droit dans la ville de New York avant de se consacrer définitivement à l'écriture. C'est en inventant des contes pour ses trois enfants qu'il a conçu la formule originale utilisée dans la série CHOISIS TA PROPRE AVENTURE, une nouveauté dans l'art de raconter des histoires.

L'ILLUSTRATRICE

Lorna Tomei a étudié l'illustration et la peinture à la Arts Students League et à la School of Visual Arts de New York. Elle a déjà illustré plus d'une douzaine de livres pour enfants et elle collabore régulièrement à des revues pour les jeunes. Madame Tomei habite à Centerport, Long Island, avec son mari, ses deux fils, un chien, trois rats, deux chats et un perroquet apparemment fort grincheux.